Christa Richardson

Dyma Moli.

Dyma Meg.

Mae Moli a Meg yn ffrindiau da.

Mae Moli a Meg yn mynd
i'r gampfa i gadw'n heini.

Mae Meg yn rhedeg.
Mae Meg yn rhedeg ar hyd y trac.

Mae Moli yn rholio.
Mae Moli yn rholio ar y mat.

Mae Meg a Moli yn cadw'n heini.

Mae Moli a Meg wedi blino'n lân!

Mae Moli a Meg yn hoffi mynd i'r gampfa.

Hwyl fawr, Moli!
Hwyl fawr, Meg!